bas en het Zwem-ABC

boeken van Vrouwke Klapwijk:

Vrouwke Klapwijk

bas en het Zwem-ABC

met tekeningen van
Irene Goede

Callenbach

Wil je meer weten over Vrouwke Klapwijk en de boeken die ze
geschreven heeft, kijk dan op *www.vrouwkeklapwijk.nl*
Meer informatie over het werk van Irene Goede vind je op
www.irenegoede.nl

Met dank aan *NV SRO, afdeling zwembaden* te Amersfoort

Dit boek is een volledig herziene uitgave van de titel
bas haalt zijn A.

derde druk, 2006

© 2000, Uitgeverij Callenbach – Kampen
illustraties en vormgeving: Irene Goede
ISBN 90 266 1045 9 • NUR 282/287
vanaf 6 jaar, AVI-2

Inhoud

1. bas, waar ben je?

bas, waar ben je?
het is tijd!
je moet naar zwemles.

mama staat in de gang.
het is vrijdag.
bas hoeft vandaag niet naar school.
hij is op vrijdag altijd vrij.
maar van twee tot drie uur
gaat hij naar het zwembad.
naar zwemles.
bas is al twee keer naar zwemles geweest.
in het begin vond hij het best
een beetje eng.
het zwembad is zo groot.
en alles wat je doet is nieuw.
bas kent het zwembad wel.
hij gaat er soms met papa en mama heen.
maar dan speelt hij gewoon in het bad.
met een band en een bal.
zou het op zwemles ook zo gaan?

de eerste keer was leuk.
mama mocht mee.
zij zat op een bank
aan de kant van het zwembad.
het bad was heel ondiep.
het water kwam net tot je buik.
zijn vriend mark was er ook.
mark zit bij hem in de klas.
en nu ook bij hem op zwemles.
de zwemjuf is heel lief.
zij heeft zelf ook een badpak aan.
ze zwemt met de groep mee
en ze wordt nooit boos,
als iets niet lukt.
ik help je wel, zegt ze.

mama kijkt langs de trap omhoog.
ze heeft de zwemtas in haar hand.
bas, waar blijf je nou?
roept ze nog een keer.
straks zijn we te laat.

2. pas op, een wolf!

loop maar weer als een reus door het bad,
roept de zwemjuf.
weet je het nog?
maak je stap heel erg groot.

groep één van zwemles
staat langs de rand in het bad.
bas doet een stap vooruit.
en nog een stap.
wat gaat dat zwaar!
het is net of het water heel sterk is.
oei, roept de zwemjuf opeens.
ik zie een wolf.
loop snel weg, voor hij je pakt!
bas lacht.
de juf verzint steeds iets nieuws.
bas kijkt opzij.
mark rent al door het bad.
wat kan hij dat snel!
hij wil vast niet dat de wolf hem pakt.

pas op! roept de juf weer.
de wolf is nu heel dichtbij.

bas doet snel een stap vooruit.
maar dan...
plons!
bas valt plat op zijn buik in het bad.
zijn hoofd komt in het water.
hij schrikt er van.
bas hoest en proest
en staat snel weer op.

de zwemjuf lacht naar bas.
dat ging goed, zegt ze.
de wolf heeft je vast niet gezien,
omdat je bijna kopje onder ging.
dat was slim van jou!
gaat het weer?
bas knikt.
met je hoofd onder water valt best mee.
het is niet erg.
en als er water in je neus komt,
proest je het er gewoon weer uit.

3. het spel met de bal

het is weer vrijdag.
bas staat op de rand van het zwembad.
de zwemjuf loopt in het bad.
ze gooit een bal naar bas.
elk kind van de groep krijgt een bal.
spring er maar in, roept de juf.
ze gaat zelf langs de kant staan.
duw de bal met je buik vooruit.
zo snel je kunt.

bas springt in het bad.
het water spat omhoog.
bas legt de bal voor zijn buik.
hij duwt hem vooruit.
maar dat gaat niet.
de bal drijft weg.
bas haalt de bal op.
hij legt hem weer voor zijn buik.
nu houdt hij de bal een beetje tegen.
dat gaat wel goed.
zo komt bas bij de juf.

wie kan het met zijn neus? vraagt de juf.
simpel, zegt bas.
hij duwt zijn neus tegen de bal.
maar dat is moeilijk!
de bal drijft steeds weer weg.
duw de bal eens op de grond, zegt de juf.
bas knijpt in de bal.
de bal is heel licht en zacht.
hij duwt hem in het water.
nu lijkt de bal opeens heel zwaar.
bas krijgt de bal maar een klein stukje omlaag.
dan schiet de bal met een knal omhoog.

wie kan er op zijn bal staan? vraagt de zwemjuf.
bas bukt zich.
dit durft hij ook.
hij duwt de bal diep in het zwembad.
bas voelt dat de bal nu onder gaat.
hij zet een voet op de bal,
en nog een voet...
hoe zal dat gaan?

4. als een speedboot...

bas doet zijn armen wijd.
hij gaat langzaam recht op staan.
het is net of de bal
aan zijn voeten kleeft.
dit gaat goed.
dit gaat heel goed.
maar opeens schiet de bal los.
met een boog
valt bas op zijn rug in het water.
hij zakt naar de grond.
dan voelt hij een ruk aan zijn arm.
het is mark.
mark trekt hem uit het water.
dat was een leuk gezicht, lacht mark.
je schoot ineens omhoog.

kom eens hier, roept de juf.
we doen nu net of we een speedboot zijn.
pak de bal goed vast.
en druk hem tegen je buik.
je drijft op je rug
en trapt hard met je benen op het water.
ik wil zien wie het snelst vaart!

bas ligt op zijn rug.
hij trapt zo hard hij kan.
het water spat in het rond.
bas houdt zijn bal goed vast.
maar dan...

au!
bas botst met zijn hoofd tegen de kant.
bas gaat staan
en wrijft over zijn hoofd.
die kant is hard, zeg!
de zwemjuf kijkt op de klok,
die aan de muur hangt.
het is vijf voor drie.
je mag nu vrij in het bad, roept ze.
het zwemuur is bijna voorbij.
als je de bel hoort,
moet je eruit.
dan komt er weer een nieuwe groep.

5. bas is boos

bom!
met een klap gooit bas de deur dicht.
hij smijt zijn tas in een hoek.
dan ploft hij op de bank neer.
bas kijkt boos.
heel boos.
mama kijkt verbaasd op.
ze leest een boek.
een heel mooi boek.
wat is er met bas aan de hand?

papa komt er ook aan.
hij heeft vandaag een dag vrij.
hij is met bas naar het zwembad geweest.
papa ploft naast bas op de bank.
waarom ben je nu boos? vraagt hij.
bas zegt niets.
hij kijkt nog steeds heel boos.
hij trekt zijn benen op de bank
en kruipt in elkaar.
papa legt zijn arm om bas heen.
zeg het maar, zegt hij zacht.
ik wil met mark mee,

klinkt het kwaad.
mark mag van de zwemjuf een groep omhoog
en ik niet.
dat vind ik niet eerlijk.
de juf zegt dat ik de beenslag nog niet goed doe.
ze zegt dat ik niet sterk genoeg ben.

dat wil ik wel eens zien, lacht papa
hij pakt bas met een zwaai van de bank
en trekt hem naast zich op de grond.
het gezicht van bas klaart op.
papa wil een potje vechten.
dat is leuk!
bas trekt papa aan zijn arm
en aan zijn been.
hij klimt op zijn buik
en slaat hem op zijn borst.
papa doet net of het echt is.
hij steekt zijn armen in de lucht.
au... au...
ik geef me over, roept hij.
jij bent het sterkst.
als de juf nog eens wat zegt...

6. de rugslag

bas zit nu ook bij mark in de groep.
hij doet heel goed zijn best.
de groep van bas en mark
zwemt al in een diep bad.
als bas op de grond staat,
komt het water tot zijn nek.
soms neemt mama
een broek en trui voor hem mee.
die trekt hij over zijn zwembroek aan.
zo leer je ook hoe dat voelt, zegt de zwemjuf.
als je in een sloot valt,
heb je toch ook een broek en een trui aan!

bas zit op de rand van het zwembad.
ze gaan vandaag de rugslag doen.
op de rand staan, roept de juf.
spring!
bas springt in het bad.
hij gaat kopje onder,
maar daar is hij al aan gewend.
hij draait zich om
en pakt de kant vast.
drijf op je rug en duw je buik omhoog,

klinkt de stem van de juf.
doe maar net of hij vol patat zit.
trek in, maak wijd en sluit met een klap.

bas zet zich af van de kant.
hij duwt zijn buik omhoog,
het gaat een klein beetje.
maar niet genoeg.
hij voelt dat hij langzaam omlaag zakt.
opeens zijn er twee handen om zijn hoofd.
het is de juf.
duw die buik omhoog, zegt ze.
trek in, maak wijd en sluit.
ik hou je hoofd wel vast.

nu gaat het goed.
bas trekt in, maakt wijd en sluit.
de juf laat het hoofd van bas los.
hij zwemt!
bas zwemt zelf de rugslag.
wat knap!

7. ga je mee van de glijbaan?

langs de rand van het bad is een trap.
mark loopt naar de trap.
hij wenkt bas.
ga je mee? vraagt hij zacht.
naar de glijbaan?

de les is bijna voorbij.
het is nu tijd voor vrij spel.
bas pakt vaak een plank,
een soort surfplank.
daar speelt hij graag mee.
bas kijkt mark aan.
mag dat wel? vraagt hij.
wat maakt dat uit, zegt mark.
de juf ziet ons toch niet.
ze is daar, wijst mark.
de juf staat bij een palm.
ze praat met een moeder.
de juf let nu even niet
op bas en mark.

mark klimt op de kant.
hij kijkt nog een keer goed om zich heen.

dan sluipt hij naar een hoek van het zwembad.
daar is de glijbaan
met een draaitrap omhoog.
het bad bij de glijbaan is diep.
heel diep.
je kunt er niet staan.
dan ga je kopje onder.
heel ver kopje onder.

bas blijft langs de kant staan.
mark doet al een stap op de trap.
het mag niet, zegt bas nog een keer.
als je verdrinkt...
ik verdrink zo maar niet, lacht mark.
ik weet heus wel,
hoe je van een glijbaan moet.
mark draait zich om
en doet nog een stap op de trap.
en nog één...

8. wat doe jij daar?

kom nou, roept mark.
doe niet zo bang.
je houdt mij gewoon vast,
als we omlaag gaan.
ik ga wel voorop.

bas kijkt naar zijn zwemjuf.
ze staat nog steeds bij de palm
en praat met die moeder.
ze ziet hen niet...
bas stapt op de trap.
de trap is leeg.
hij klimt snel met mark omhoog.
boven aan de trap blijft hij staan.
hij kijkt in de glijbaan.
het is een soort buis,
die steeds in het rond tolt.

de buis is heel lang.
en aan het eind is het bad.
het diepe bad.

bas zucht diep.
durft hij dit wel?
schiet nou op, zegt mark.
straks is het te laat.
bas hurkt bij mark neer.
maar dan...
wat doe jij daar? klinkt opeens een stem.
het is de stem van de zwemjuf.
ze staat bij de trap
en kijkt omhoog.
de juf is boos.

kom heel gauw van die glijbaan af.
wat denk je wel? bromt ze.
als het zo moet,
mag je nooit meer van de glijbaan.
bas schrikt.
hij staat vlug op.
met een rood gezicht loopt hij de trap af.
zie je wel!
hij had toch gelijk!

9. duikles

op de kant, roept de juf.
vandaag geef ik duikles.

bas klimt op de kant.
hij gaat niet meer langs de trap.
hij pakt gewoon de kant vast
en duwt zich omhoog.
dan slaat hij een been op de rand.
zo rolt hij uit het bad.
de zwemjuf staat in het bad.
ze wacht nog op mark.
hij hangt over een koord,
dat dwars door het bad gaat.
hij praat met een vriend van school.
mark! roept de juf.
ben je doof?
op de kant!
klets nou niet zo veel.
zorg maar dat je vlug je A haalt.
mark zwemt naar de kant.
hij trekt zich op aan de rand
en gaat naast bas staan.

eerst in de hurkzit, zegt de juf.
leg je neus op je knie
en steek dan je armen vooruit.
bas kruipt in elkaar.
hij voelt zich net een bal.
een bal die het bad in rolt.
duik!
roept de zwemjuf.
bas kijkt naar het bad.
het water is heel dichtbij.
hij duikt vooruit
en verdwijnt in het bad.
je ziet niets meer van hem.

opeens komt hij omhoog.
hij springt op en neer.
ik heb de grond geraakt, schreeuwt hij blij.
ik wil nog een keer!
de zwemjuf lacht.
het komt wel goed met bas.
hij is zo vrij als een vis in het zwembad.

10. mama heeft geen zin...

bas, waar zit je?
het is tijd voor zwemles!

mama loopt op de speelplaats
in de buurt van hun huis.
ze kijkt op elk plekje.
maar bas is niet te zien.
waar zou hij zijn?
mama roept nog een keer.
bas, het is bijna twee uur.
als je niet gauw komt,
ben je te laat!
het blijft stil op de speelplaats.
mama wrijft over haar voorhoofd.
ze heeft het heel warm.
de zon schijnt fel.
zal ze wel gaan...?
mama kijkt nog een keer goed in het rond.
nee, geen bas.
waar zou hij toch zijn?

mama draait zich om
en loopt naar huis.

dan maar geen zwemles, denkt ze.
het is ook zo warm.
een uur op de bank
in het zwembad duurt nu wel erg lang.
daar heeft ze vandaag geen zin in.
en...
in de tuin staat een ligstoel
onder de boom.
daar is het koel.
het opblaasbad van loes staat er naast.

bas ziet mama gaan.
hij houdt zich stil.
muisstil.
bas zit onder een struik.
vlak bij de speelplaats.
hij zit daar met tom.
waarom zit bas daar?
waarom verstopt hij zich?

11. ...en bas heeft ook geen zin

je moet naar zwemles, zegt tom.
hij stoot bas aan.
maar bas schudt zijn hoofd.
ssst...,
ik heb geen zin.
het is veel te warm.

tom kijkt bas verbaasd aan.
geen zin in zwemles?
daar snapt hij niets van.
tom vindt zwemles heerlijk.
hij moet altijd na bas.
van drie tot vier uur.
als het zo warm is,
is het juist fijn in het zwembad, zegt tom.
dan koel je af.
ja, knikt bas.
als je vrij in het bad mag.
ik heb vandaag geen zin in les.
mama heeft voor loes een badje
in de tuin staan.
daar kruip ik straks wel bij.
dan koel ik ook wel af.

geef dat kleed eens aan, wijst bas.
de hut is nog niet klaar.

tom pakt het kleed.
hij heeft met bas een hut gemaakt.
onder een struik bij de speelplaats.
eerst was het fris onder de struik,
maar nu schijnt de zon er recht op.
tom voelt op zijn rug.
die is nat van het zweet.
als je maar weet,
dat ik wél naar zwemles ga, bromt tom.
ik heb het loeiheet
en ik wil graag gauw mijn ABC.
jij niet?
bas kijkt voor zich uit.
het duurt nog zo lang
voor hij in de afzwemgroep mag.
het geeft vast niet
als hij één keer niet naar zwemles gaat.
hij haalt het toch wel.

12. door het duikscherm

bas staat langs de rand van het zwembad.
hij heeft het koordje van zijn zwembroek
in zijn mond.
hij is een beetje moe.
een uur zwemles is best lang.
bas kijkt naar zijn juf.
wat doet ze nou?
gaan ze vandaag ook nog door het gat?
bas zucht.
hij heeft niet zo veel zin meer.

de zwemjuf hurkt bij een startblok.
daar steekt een haak uit de muur.
de juf pakt een stok van de kant.
aan die stok zit een groot geel zeil.
een zeil met een gat.
ze hangt de stok aan de haak
en trekt hem dan recht.
het zeil zakt langzaam omlaag.
het is net of er een muur
in het water zit.
een muur met een gat.

weet je wat ik vind? zegt de zwemjuf
dat je al zo goed onder water durft.
zo lang en zo diep.
daarom gaan we vandaag door het duikscherm.
je hebt het vast al eens gezien,
bij een groep die voor ons is.
bas knikt.
ja, dat klopt.
als bas zwemles heeft,
zijn er nog meer groepen in het zwembad.
een groep voor kleintjes
en groepen die al heel ver zijn.

als je diep onder water bent,
kijk je goed naar het scherm, zegt de juf.
je ziet in dat scherm
een groot zwart gat.
daar zwem je door heen.
daarna kom je weer omhoog.
wie wil het eerst?

13. één keer is genoeg

bas zit naast de juf op een startblok.
mark staat al klaar
op de rand van het zwembad.
hij wil het eerst.
mark duikt diep het bad in.
bas kijkt hem na.
mark zwemt naar het gat.
opeens is hij niet meer te zien.
het scherm zit ervoor.
bas rekt zich uit.
waar is mark?

joehoe!
mark steekt zijn arm omhoog.
een heel eind voorbij het scherm.
wat kan hij al ver!
dat is leuk! roept hij.
ik wil nog wel een keer.
de zwemjuf lacht.
dat mag wel,
maar om de beurt, zegt ze.
sjaak staat al klaar.
daarna gaan jan en lot,

en margreet en jos...
en bas? vraagt de juf,
ga jij nu ook?
de zwemjuf draait zich om naar bas.
hij zit nog steeds op het startblok.
ik ben zo moe, zegt bas
en ik heb het koud.
de juf kijkt hem aan.
is dit echt of durft bas niet?
ben je ziek? vraagt ze.
bas schudt zijn hoofd.
ik weet het niet, zegt hij.
de juf pakt bas bij de hand.
kom, zegt ze.
je kunt het best.
en één keer is voor vandaag genoeg.

bas duikt het bad in.
hij voelt de druk op zijn hoofd.
in één slag is hij door het gat heen.
nu vlug omhoog.
hij wil naar huis.
voor vandaag is het echt genoeg.

14. in de kring

mag het nu? vraagt rob.
de juf knikt.
ja, laat maar zien.
rob pakt zijn tas.
die hangt aan zijn stoel.
hij trekt het touw van de tas los
en pakt er wat uit.
het is een kaart.
een kaart met een A.
rob gaat staan
en steekt de kaart trots omhoog.
oo..., klinkt het uit de kring.
jij hebt je A!

het is maandag.
bas zit op school.
voor in de klas staat een kring.
daar zit groep drie
voordat de les begint.
bas kijkt naar rob.
hij kijkt ook naar de kaart van rob.
bas zucht.
was hij maar zo ver.

wat zou dat een feest zijn!

ik heb ook wat gehad, zegt rob.
een boek en een spel.
dat boek lees ik al zelf.
het gaat over zwemles.
en als ik mijn C heb,
krijg ik een boot.
een opblaasboot.
bas zucht diep.
een opblaasboot.
dat wil hij ook zo graag.
maar voordat hij zijn C heeft,
is er vast weer een jaar voorbij.

de juf pakt de kaart van rob
en zet hem op de rand van het bord.
zo kan de groep hem goed zien.
wie is er nu aan de beurt? vraagt de juf.
jij, bas?
bas schudt zijn hoofd.
nee, vandaag vertelt hij niets.
nog niet...

15. weet je het nog?

mama zit op de bank.
ze heeft een boekje in haar hand.
een blauw boekje.
kijk, hier staat het, zegt ze.
dit moet je doen voor je A.
morgen moet bas op proef.
dan kijkt de zwemjuf
of hij klaar is voor zijn A.
bas vindt dat heel fijn.
hij zit nu al zo lang op les.

spring vanaf de kant in het bad.
met je kleren aan, leest mama.
water trappen.
een stukje schoolslag,
onder een lijn door en verder op je rug.
bas knikt.
ja, dat kan hij.
trek daarna je kleren uit
en spring het bad weer in.
zwem door het gat in het zeil.
bas knikt weer.
ja, dat kan hij ook.

nu komt het, zegt mama.
twee keer het bad op en neer
met de schoolslag en met de rugslag.
dat zijn vier baantjes.
en wat lees ik hier?
borstcrawl en rugcrawl.
kun je dat ook?
bas knikt trots.
ja, daarvoor zit hij op zwemles.

mama leest nog meer voor.
bas kruipt dicht tegen mama aan.
hij vindt het best een beetje eng.
als hij het maar haalt...

16. het afzwemfeest

ben je klaar? vraagt papa.
hij heeft de tas van bas in zijn hand.
de tas is dik.
er zit heel veel in.
een zwembroek en een baddoek,
maar ook veel kleren.

bas wrijft over zijn buik.
het voelt wat raar,
net of hij bang is.
maar dat hoeft niet.
hij kan het best.
hij heeft zijn proef al gehaald.
vandaag moet hij echt.
kom, zegt papa.
mama, ank en loes
zijn er al bijna.
straks zijn wij nog te laat.

het is heel druk in het zwembad.
er is haast geen plaats meer op de bank.
het bad is ook mooi versierd,
met vlaggen.

bas gaat bij mark staan.
en bij margreet en lot
en jan en tom en sjaak...
hij zwaait naar papa en mama.
daar komt de zwemjuf aan
met nog een juf... en een man.
hij kijkt of het wel goed gaat.

klaar!
de juf staat met een fluit aan haar mond.
dan blaast ze heel hard.
spring!
bas neemt een sprong.
daar gaat hij.
bas doet heel goed zijn best.
maar met een broek en een trui aan
zwemt het wel heel zwaar.
als bas uit het bad klimt,
klapt mama in haar handen.
ze steekt haar duim omhoog.
goed zo, bas! roept ze.
hou vol!

17. nog een klein stukje

bas hapt naar lucht.
hij tikt de kant aan.
nog één baantje op zijn rug.
hij is bijna klaar.
trek in, spreid en sluit...
trek in, spreid en sluit,
zegt hij zacht in zichzelf.
bas kijkt opzij.
margreet zwemt naast hem.
ze gaan mooi gelijk op.

bom!
bas stoot zijn hoofd aan de kant.
is hij er al?
bas draait zich om.
hij trekt zich op aan de kant.
ppfff!
dat was lang.
vier baantjes zonder stop.
nu de borst en rugcrawl,
nog door het gat in het zeil
en water trappen.

kom bas, schiet op, roept mark.
hij staat al op een startblok.
het lijkt wel
of mark nooit moe wordt.
bas klimt op het blok naast mark.
hij kijkt naar de bank.
daar zijn papa en mama.
loes zit bij mama op schoot.
..as, ..as, roept ze
als ze bas ziet.
bas steekt zijn arm omhoog.
loes knijpt haar handje in elkaar.
het is net of ze naar hem zwaait.

klaar!
daar gaat de fluit van de juf weer.
nog een klein stukje
en dan...
heeft bas zijn A.

18. ...en nu B en C!

bas de vos.
de juf noemt zijn naam.
in haar hand heeft ze een kaart.
op die kaart staat een A.
heel groot,
in het rood.
maar ook de naam van bas
en de naam van de juf.

veel geluk, bas, zegt de juf.
ze geeft bas een hand.
hang hem maar bij je bed.
dan kun je vaak zien,
dat het echt waar is.
jij hebt vandaag je A gehaald.
maar denk eraan,
dit is pas het begin.
wie A zegt...
zegt ook B en C.
bas loopt naar zijn plaats.
hij houdt de kaart goed vast.
stel je voor dat de kaart in het bad valt.
dan is hij nat

en kun je niet meer zien,
dat bas echt zijn A heeft.

kijk, daar loopt bas.
op zijn rug hangt de zwemtas.
hij heeft de kaart in zijn hand.
de kaart met de A.
hij zwaait naar mark en jos.
naar jan en naar lot.
tot vrijdag! roept hij.
dan ga ik voor mijn B... en C!